安房直子 絵ぶんこ2

猫の結婚式

安房直子 文　西淑 絵

「こんなおおげさなこと、ほんとは、するつもり、なかったんですけどね。」

そんなことをいいながら、のら猫のギンが、ぼくのところに、一枚の招待状をとどけてきました。

のどかな日曜日の朝のことです。

ぼくは、えんがわのいすにすわって、新聞を読んでいました。ぼくのひざの上では、猫のチイ子が、すやすやと眠っていました。チイ子は、もともと、すばらしくきれいな白猫なのですが、ぼくが、毎朝ていねいにブラシをかけてやっているおかげで、その毛なみは、いよいよ輝きわたり、まるで、白いビロードのように見えるのです。

御招待

このチイ子にくらべたら、そこらへんの猫たちは、下品できたならしくて、もう話になりません。とくに、ぼくのところに毎日無断で出入りしている、このの ら猫のギンなんかは、もともと何色の猫なのか、見当もつかないほどよごれていて、きずだらけで、目ばかりいやらしく光っているのでした。

ところが、そのギンが、きょうにかぎってシャワーでもあびたみたいに、さっぱりした体で、やってきたのです。

「どうしたんだい？　いったい。」

と、ぼくがたずねますと、ギンは、前足をそろえて、それはもったいぶったようすで、

「じつは、こんど結婚することになりまして。」

と、いいました。

「ほう、そりゃけっこうだね。」

と、ぼくは、うなずきました。猫だって、結婚ぐらいするでしょう。ちょっとあ

いそ笑いをしてから、ぼくはまた、新聞に目をおとしました。すると、ギンは、おこったような声で、

「その封筒、あけてみてくださいよ。」

と、いいました。気がつくと、ぼくは、右手に、さっきギンからもらった白い封筒を、持っていたのです。封筒の上には、黒い字で、〈御招待〉と、書かれてありました。

「へえ、結婚式、あげるのかい。」

ぼくは、ちょっと、びっくりしました。すると、ギンは、目をパチパチさせて、ひと息にいいました。

「ええ。こんなおおげさなこと、ほんとはぼく、するつもりなかったんですけどね、彼女のほうが、このさい、どうしても、花嫁衣装着たいっていうもんですから。」

ふんふんと、うなずきながら、ぼくは、封筒を、あけてみました。中には、白い四角いカードがはいっていて、こんなことが書かれていました。

結婚式御招待

寿　三月二十三日、夜十時より

ホテルニューガレージ地下一階にて

「ホテルニューガレージっていうのは……どこだっけ……。」

ぼくが考えていますと、ギンは、かきねのむこうを、あごでしゃくって、小さい声で、

「ほら、すぐそこの、空地ですよ。」

と、いいました。

ホテルニュー
ガレージ

「空地って、駐車場かい？」

「そうです。あすこの、地下一階です。」

「駐車場に、地下なんかあるわけないじゃないか。」

「いいえ。あるんです。秘密の階段おりたところに、秘密の宴会場があるんです。そこへ、特別に、あなたを御招待しますから、どうぞ、こっそりと、ひとりできてください。たったひとりの人間として、ぼくの門出を、祝福してやってください。」


いったいいつから、ギンは、こんななまいきな口のきき方をするようになったのでしょうか。はじめてこの家に、かきねの穴から、もぐりこんできたときには、体もずっと小さかったし、なんとなく、おどおどしていて、子どもっぽかったのです。たまに、チイ子の残した牛乳を飲ませてやると、もも色の舌で、ぺちゃぺちゃなめて、人なつこく、体をすりよせてきたりしたのでした。それが、このごろのギンときたら、にわかに、すばしっこくなって、牛乳なんかより、魚一匹、まるごと食べたいような顔つきになりました。いつでも、体のどこかに、ひっかきぎずをつけていて、目もするどくなりました。たしかに、ボスになったらしいのです。

(なるほど、ボスになったところで、結婚か……。)

ぼくは、うーんとのびをして、

「わかったよ。」

と、答えました。ギンは、ぺこんと、おじぎをして帰っていきました。

三月二十三日は、あいにく雨でした。

いったい、どういう低気圧の影響でしょう、朝からどしゃぶりで、夕方には、風もでてきました。

よりにもよって、こんな日に結婚式だなんて……ぼくは、あの日の、ギンの顔つきを思いうかべて、ちょっと気のどくになりました。

ギンも気のどくですが、招待客も、気のどくです。いくら、となりの空地までだって、こんな晩の外出は、ほんとうに、おっくうです。どうしようかなと、ぼくがまよっていますと、電話のベルが鳴りました。

「モシモシ、ぼく、ギンですが。」

受話器をはずすやいなや、せきこんだギンの声が、聞こえてきました。ぼくが、返事もしないうちに、ギンは、ひと息に、しゃべりまくりました。

「あいにくの天気になりましたが、予定どおり披露宴をいたしますから、まちがいなく、おこしください。お客は、もうぽつぽつ集まっています。平服でけっこうですから、どうぞ、すぐおいでください。」

「…………。」

ぼくの足の上では、チイ子が、うずくまっていました。チイ子は、このところ元気がなくて、めったに外出しませんし、食欲も、ないようです。ぼくは、電話を切ってから、チイ子にいいきかせました。

「ねえ、チイ子、ぼくは、ちょっとでかけてくるからね。これから、ギンの結婚式なんだ。すぐ帰るつもりだけど、おそくなったら、さきに寝てなさい。」

チイ子が、小さな口をあけて、かすかに返事をしましたので、ぼくは、かさをさして、でかけることにしました。ぼくの服装は、平服も平服、セーターに、よれよれのズボンです。そのうえ、下駄ばきで、かさは、骨が一本おれています。

外に出て、そのかさをひらくと、雨は、ばらばらと、はげしい音をたてました。ほんとうに、ひどい日になったものです。ところが、ぼくが、家の門を出て、となりの空地のほうへ歩きはじめますと、うしろでいきなり、

「まったく、とんでもない天気で。」

と、だれかがいいました。びっくりしてふりむくと、小さな黒いかたまりが、ひゅっと、ぼくを、追いぬいていきました。

よく見ると、猫です。

黒猫が、黒いレインハットなんかかぶって、いちもくさんに、となりの空地へ行くところです。ぼくが、あっけにとられていますと、また、うしろで、

「あいにくの天気ですね、おさきにしつれい。」

という、声がします。ふりむくとこんどは、白っぽい猫が、三匹つれだって、ぼくを追いぬいていきました。三匹の猫も、やっぱり、レインハットを、かぶっていました。このごろは、猫も、あんなのかぶるようになったのかなと、ぼくが思っていますと、もうあとからあとから、レインハットをかぶった猫たちが、ぼくを追いぬいていくのでした。

「おさきにしつれい。」

「おさきにしつれい。」

「おさきにしつれい。」

白猫もいれば、ぶち猫もいます。大きいのも小さいのも、中くらいのもいます。なるほど、ボスの結婚式だけあって、招待客の多いこと多いこと……。

ぼくは、すっかり感心してしまいました。

駐車場には、街灯がひとつ、ともっていました。そのまるい光に照らされて、そこだけ、はげしい雨の線が、はっきり見えます。それにしても、この空地のいったいどこに、地下へおりる階段なんかが、あるのでしょうか——。

ぼくが、ためらっていますと、

「こちらですよ。」

と、声がして、まるい光の中に、やっぱりレインハットをかぶった、うす茶色の猫が、あらわれました。

「さあ、さあ、こちら。」

うす茶の猫は、ぼくを、案内しにきたらしく、先にたって、ずんずん歩きはじめました。その、てらてらと光るレインハットのあとを、ぼくが追いかけていきますと、猫は、シートをかぶった車のうしろに、するりと、かくれました。あとをついていくと、車のかげには、ぽっかりと、マンホールほどの穴があいていて、そこから地下へつづく階段が見えました。

穴の下からは、だいだい色の光が、ほのかにこぼれています。かがんで耳をすますと、おごそかなオルガンの曲までひびいてきます。

「さあ、さあ、こちら。」

茶色い猫にいわれるままに、ぼくは、そこで、かさをつぼめて、階段をおりはじめました。階段は、ほそくて、急で、びっしょりぬれていました。

階段を、ちょうど二十段おりたところに、ちょっとした広間が、ありました。オレンジ色の光は、その広間の壁と天井に、ともされていたあかりだったのです。

「こちらが、控え室でございます。お客さまは、もうみんな、宴会場のほうへ、おうつりになりました。」

茶色の猫は、自分のレインハットをぬいで、壁の帽子かけにかけながら、そういいました。気がつくと、その壁には、ずらりと一列に、レインハットが、ならんでいるのです。その数は、もうかぞえきれません。

「おどろいたねえ。これは、たいへんなお客だねえ。」

ぼくは、自分のかさを、いちばんはしっこの帽子かけにぶらさげて、茶色の猫のあとについて、となりの宴会場へいそぎました。

宴会場のドアは、ギイと音たてて、ひとりでに、内側にひらきました。きっと、穴の上から吹きこんできた風のせいでしょう。

そこは、たいして広くないへやでしたが、シャンデリヤふうの電灯が、上からぶらさがっていて、三列ほどならんだテーブルには、ぎっしりいっぱいの猫たちが、ぎょうぎよくすわっていました。

「こちら、こちら。」

案内役の茶色い猫は、ぼくを右はしの席に案内します。それにしても、ずいぶんすみっこの、これは、末席じゃないかと、ぼくが思ったとき、へやじゅうの猫たちが、いっせいに、パタパタと、拍手しました。

「新郎新婦の御入場でございます。」

正面のとびらが、さあっと、両側にひらきました。ぼくは、席にすわって、あわてて、拍手しました。ギンのやつ、どんな嫁さんもらったんだろうと、ぼくは、目をこらしました。

バッハのオルガンにあわせて、おごそかに、へやにはいってきたギンは、黒い服に、銀のネクタイです。ヒゲも、ほどよい長さに、切りそろえてあって、毛なみはつややかで、目やになんかついてないし、まったく見ちがえるほどです。ぼくは、思いきり、拍手をしてやりました。けれども、そのうしろから、うつむいて、しずしずとはいってきた白いドレスの花嫁を、ひと目見たとたん、ぼくの両手は、はたりと動かなくなりました。

ゆきやなぎの白い花を、頭いっぱいにのせて、長いレースをひきずりながら、入場してきた花嫁こそ、まぎれもない、ぼくのチイ子だったのですから。

ぼくの目に、くるいはありません。どんなに変装したって、どんな遠くからだって、ぼくは、自分の猫を、はっきりと見わけることができるのです。チイ子の目は、エメラルドの緑で、毛なみは、ビロードの白なのですから。

ぼくは、息をするのもわすれました。

こんなことがあって、いいものでしょうか……てっきり、家にいるはずのチイ

子が、先まわりして、こんなところへ……。

（ははーん。）

ぼくは、さっき雨の中で、ぼくを追いぬいていったたくさんの猫たちのことを、思いだしました。あのなかには、たしかに、白猫も、いく匹かいたのでした。さては、家を出るまえにかかってきた、ギンからの電話は……あなたがきてくれないと、ことが運びませんといったあれは、チイ子を早く外へだすための作戦だったのか……。

「チイ子！」

ぼくは、立ちあがって、大声をあげました。

「チイ子、こっちへくるんだ。」

ぼくは、大またに、チイ子の席まで進んでいきました。

「おまえは、だまされてるんだ。生まれも育ちも由緒正しいおまえが、こんなのら猫ふぜいと……。」

ぼくは、ギンをにらみつけて、

「さあ、チイ子を、かえしてもらうよ。」

と、いいました。そのとき、まわりの猫たちが、総立ちになりました。そうして、すばやく、ぼくのまわりによってくると、口ぐちに、

「まあ、まあ、まあ。」

と、いいながら、ぼくを、もとの席に、おしもどそうとするのでした。猫の力も、ばかにできません。ぼくの体は、猫たちにおされて、みるみるうちに、もとの席に、もどされたではありませんか。そうして、とうとう、あの末席に、いやおうなしに、すわらされたではありませんか。そうして、そのあとは、あの案内役の茶猫だの、のっそりした黒猫だの、片目のぶち猫だのが、ぼくのそばへよってきて、口ぐちに、おちついてくださいおちついてくださいと、ささやくのでした。

「おちついてください、お父さん。」

ぼくの横で、黒猫が、はっきりと、そういいました。

「お父さん？」

「そうです。あなたは、花嫁のお父さんです。お気持ちは、わかりますが、このさい、娘さんを、祝福してあげてください。」

そういいながら、黒猫は、ぼくに、むりやりグラスをにぎらせて、赤いお酒を、どぼどぼと、そそぎました。

気がつくと、どの猫も、どの猫も、グラスにそそいだ赤いお酒を右手に持って、乾杯の姿勢です。チイ子までが、グラスを片手に、となりのギンと、しあわせそうに、目を見あわせているじゃありませんか……。ぼくは、体の力がぬけてしまいました。これは、完全に、裏切られた、こっちの負けだと、はっきり知りました。

乾杯のあと、二、三匹の猫が、話をしました。それは、チイ子が、どんなに美しい猫で、ギンが、どんなにたくましい猫かという内容でした。そんな話は、聞きたくありませんでしたから、ぼくは、そっぽをむいて、グラスの、赤いお酒をなめていました。

演説がおわると、料理が運ばれてきました。

つぎからつぎへと、大皿が運ばれて、テーブルの上に、ならびます。猫の料理だから、なまの魚ばかりだろうなんて思ったら、大まちがいです。なまの魚は、ひらめだか、たいだかのさしみが一品でただけで、あとは、焼きぶたやら、ソーセージやら、エビやらカニやら、それから、見たこともない貝の料理なんかが、ずらりとならんで、サラダも、アイスクリームも、食べほうだいなのです。のら猫というのは、すごいものだと、ぼくは思いました。この豪華な料理といい、秘密の宴会場といい、いざというときに力があるのは、やはり、育ちのいいのよりも、

雑種のほうかもしれません。目の前に運ばれてきた、〈ひらめのフローランス風グラタン〉などというのは、これは、なかなかいい味で、いつか友だちの結婚式で食べた料理なんかより、ずっとおいしいように思われました。

いつのまにか、気持ちもおちついて、あちこちの皿の料理を、ぱくつきながら、ぼくが、ふっと正面を見ますと、チイ子は、花むこのとなりでうつむいて、ほろほろと、貝のピラフなんかを食べていました。そのようすを見て、ぼくはもう、ほんとうに、しかたないという気持ちになりました。

（すきなようにするさ。）

ぼくは、お酒を、たくさん、飲みました。そうして、猫たちの歌やおどりを見ました。それは、猫のワルツと、猫音頭と、猫の混声合唱と、それから、手品でした。

ところで、この手品には、おどろきました。

黒猫が、黒いシルクハットの中から、つぎつぎに、品物をとりだすのですが、その品物が、どれもこれも、見おぼえのある、チイ子の持ちものなのです。たとえば、チイ子が、よく、えんがわでじゃれていたまりやら、ごはんのとき使っていた赤いおわんやら、気に入りの小さな毛布やら、毛なみをそろえるときに使うブラシやら……。帽子の中から、とりだされたそれらの品物を、手品師は、白い小さなスーツケースに、手ぎわよくおさめると、

「ほい、花嫁のおしたくの、できあがり。」

と、いいました。

どろぼう猫め、いったい、いつのまに、ひとの家から、ぬすみだしたんだ……

ぼくは、いらいらして、横をむきましたが、このとき、ふっと、チイ子が、いじらしくなりました。あんなかばんぶらさげて、いったい、どこへ行くんだ……。そうだ、それだけは、聞いておきたいと思って、ぼくは、立ちあがりました。

「それで、これからきみたちは、どうするんだい？」

ぼくは、大声で、ギンにたずねました。

「いったい、どんな暮らしをするんだい？　まさか、チイ子に、横町のごみあさりなんか、させるつもりは、ないだろうね。」

すると、ギンは、神妙に、うなずきました。

「ほんとうに、ご心配を、おかけしました。これから、わたくしどもふたりは、旅に出ようと思っております。遠い海のほとりにある、猫の町へ、行こうと思っております。」

とつぜん、拍手が、おこりました。どうやら、ほかの猫たちはみんな、ギンとチイ子の、これからの身のふりかたを、知っていたらしいのです。それにしても、

海のほとりの猫の町なんて、ぼくは、聞いたこともありません。また、ひとをだますつもりじゃないかと、ぼくが思っていますと、ギンは、もっともらしくうなずいて、

「ごぞんじないかもしれませんが、北の海のほとりには、猫の町があります。そこには、猫が、たくさん住んでいて、自分たちで網をこしらえて、魚をとって、暮らしています。人間のおこぼれなんか、もらわずに、自分たちの力で、暮らしています。猫の会社も猫の工場も猫のお店もあるのです。そういうところへ、わたくしどもは、うつり住もうと思っております。」

ぼくは、うなずきました。そういうことなら、安心だと思いました。チイ子が、のら猫と結婚して、うすよごれた姿で、そのへんを、うろつくところなんか、とてもつらくて、見ていられないと、思ったからです。

安心したせいか、それとも、お酒を飲みすぎたせいか、ぼくは、ひどく、ねむたくなりました。

頭（あたま）が、ぼおっとして、天井（てんじょう）のシャンデリヤが、にじんで見（み）えました。

ところが、そのシャンデリヤが、とつぜん、くらりとゆれたのです。おやっと、思ったとき、テーブルの上のグラスが、ひっくりかえって、赤いお酒が、こぼれました。それから、上のほうで、どどーっと、地鳴りのような音が聞こえたと思ったとたん、あたりは、まっくらになりました。

「停電だ！」

と、だれかが、さけびました。たちまち、大さわぎになりました。

「地震だ！」

「いや、かみなりだ！」

「とにかく、あぶない！」

「早く、にげろ！」

闇の中で、猫たちは、いっせいに、階段のほうへ、殺到しました。こうなるともう、われがちです。なにがなんだか、わからないままに、ぼくも、出口へむかって走りました。

「おすな。」

「おすな。」

猫たちが、一匹のこらず、レインハットをわすれて、階段を、かけのぼったように、ぼくも、かさをわすれて、あたふたと、地上に出ました。

外は、やっぱり、はげしい雨でした。

猫たちは、ちりぢりになって、その雨の中に、消えていきます。

このとき、ぴかっと、いなずまが光って、あたりが、一瞬、昼のようになりました。その光の中に、ぼくは、ちらっと、ギンとチイ子の姿を見たのです。白いベールをかぶって、白いスーツケースをぶらさげたチイ子が、ギンと手をつないで、大通りのほうへ走っていくところを、たしかに見たのでした。くらやみの中にうかびあがったチイ子の姿は、まるで、一輪のゆりの花のようでした。ぼくは、びしょぬれになって、やっと自分の家にもどりました。そうして、玄関のところで、へなへなと、くずおれてしまったのです。ほんとうに、お酒の飲みすぎでした。

翌朝、目をさまして、ぼくは、

「チイ子。」

と、呼んでみました。けれどもその声は、だれもいない家に、むなしくひびいただけでした。古い家の中に、チイ子の気配は、もう、ありませんでした。

CAT
FOO

二十日ほど、すぎました。
ぼくのところに、はがきが一枚、きました。
へたな、ひらがなだけの字で、こんなことが、書かれてありました。

そのせつは、たいへんごめいわく
おかけしました。
わたしたち、ねこのまちでなんとか、
ぶじに、くらしています。
そのうち、いわしの、ひものを、
おくります。
あなたも、はやく およめさん、
もらってください。

ちいこ

安房直子（あわ なおこ）

東京都に生まれる。日本女子大学在学中より、山室静氏に師事。大学卒業後、同人誌『海賊』に参加。1982年、『遠い野ばらの村』（筑摩書房）で野間児童文芸賞、1985年、『風のローラースケート』（筑摩書房）で新美南吉児童文学賞、1991年、『花豆の煮えるまで』でひろすけ童話賞を受賞。1993年、肺炎により逝去。享年50歳。没後も、その評価は高く、『安房直子コレクション』全7巻（偕成社）が刊行されている。

西 淑（にし しゅく）

福岡生まれ、京都在住。イラストレーター、画家。雑誌、広告、パッケージ、書籍の装丁などのイラストレーションを手がける。『なくなりそうな世界のことば』（吉岡乾 著 創元社）、2019年に『西淑 作品集』をELVIS PRESSより刊行。

本書に収録した作品テクストは、下記を使用しました。
『安房直子コレクション2 見知らぬ町ふしぎな村』（偕成社）

安房直子 絵ぶんこ②

猫の結婚式

2024年4月30日　初版発行
2025年5月30日　2刷発行

安房直子・文
西 淑・絵

発行所／あすなろ書房
〒162-0041　東京都新宿区早稲田鶴巻町551-4
電話03-3203-3350（代表）
発行者／山浦真一

装丁／タカハシデザイン室
印刷所／佐久印刷所
製本所／ナショナル製本

ISBN978-4-7515-3202-7　NDC913　Printed in Japan